Histoires à lire au coin du feu

DESSIN :	CLARKE
SCÉNARIO :	GILSON
COULEURS :	CERISE

MERCI À MAYO (FRISBEE GRATUIT) **DOMINIQUE GÉRARD ET LAURENT DUVAULT** (PROMOTION ET OBSTINATION) **MIDAM ET OLIS** (BRAINSTORM À MONTREUIL) **JANRY** (PETITS CROQUIS) **T.T.** ("ÇA VA PAS DU TOUT!").

R.7/2006.
D.1997/0089/143 — ISBN 2-8001-2447-4

Imprimé en Belgique.
www.dupuis.com

J'AIME LA FORÊT MAUDITE !
LIEU PRIVILÉGIÉ LOIN DE TOUT ENDROIT HABITÉ !
ICI, TOUT EST FACILE !
... PROVOQUER LE FEU DE L'IRE...
... INVOQUER L'ESPRIT DES MORTS ...
... DÉCHAÎNER LES ÉLÉMENTS ...
... APPELER LES DÉMONS DE L'ENFER...
EN FAIT, LA SEULE CHOSE QUI N'EST PAS FACILE...
... C'EST DE SE TAPER LE CHEMIN EN TRIMBALANT CE FICHU CHAUDRON !

ON LA TIENT !
QU'EST-CE QUE TU CACHES COMME DIABLERIES ?
MAIS RIEN !
UN JAMBON ? DES LÉGUMES ?
?
?
?
?
IL Y A SÛREMENT QUELQUE CHOSE DE SUSPECT !
SNUF ! SNOUF !
EEH ! VOUS METTEZ DES POILS SUR MA NOURRITURE !
MAIS... C'EST UN JAMBON DE MA BOUCHERIE !
...ET DES LÉGUMES DE MON ÉCHOPPE !
BEN OUI.
CHOUX, RADIS, AUBERGINES...
CHÈRE CLIENTE, EXCUSEZ-NOUS !
FICHEZ-LUI LA PAIX UNE FOIS POUR TOUTES !
GRMBL ! JE FERAIS MIEUX D'ALLER ME COUCHER !
HÉ ! HÉ ! HÉ !

GLA
CETTE FOIS, TOUT EST PERDU. ADIEU.
GLA
GLA
ATTENDS, JE PEUX ENCORE ESSAYER CELLE-CI !
FROT FROT
GNN ! GNN !
OUI ! ÇA MARCHE !
AGLA GLA !
PUFF !
C'EST RATÉ ! J'AI LES DOIGTS TROP ENGOURDIS !
PFFF
J'AI UNE IDÉE !
UNE AUTRE FORMULE ?
MIEUX QUE ÇA ! VIENS !
?
TOUS LES DRAGONS SONT DES
?
?
?
?
?
GR.
GR.
BON, D'ACCORD ! NOUS SOMMES SAUVÉES MAIS TOUT DE MÊME !

JE N'AURAIS PAS DÛ PARTIR PAR UN FROID PAREIL...
JE... JE GÈLE !
ARGH !
PROUF !

VENEZ M'AIDER !
C'EST LA FILLE DU CHÂTEAU !
ELLE EST GELÉE !
QU'EST-CE QU'ON FAIT ?!

QUELLE QUESTION ! FAITES DU FEU, VITE !
BRAVES GENS !

BAH...
138

ATTENTION... PAS PLUS D'UNE GOUTTE !
RIEN ?!
ALOOORS ? ÇA POUSSE ?
J'AI COMPRIS...
... CETTE FORMULE NE VAUT RIEN !
SKRATCH !
DISTRAITE QUE JE SUIS ! HEUREUSEMENT QUE ÇA N'A PAS MARCHÉ !
... C'ÉTAIT UN COUP À ME DÉFONCER LE PLAFOND !
140

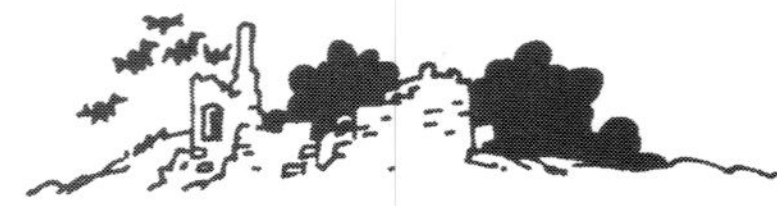

Z
BLOM!
OUAAH!
PF!
PF!
JE BRÛLE! JE BRÛLE!
PF!
AU FEU! AU SECOUR
?!
ÇA VIENT DE LA BIBLIOTHÈQUE...
PSCHH
SPLASH!
KHOF! PHEU!
PFOU! MERCI, MÉLUSINE. SANS VOUS, JE BRÛLAIS VIF!
KHOF! JE VAIS AÉRER UN PEU!
NON! PAS LA LUMIÈRE DU...
SHH
ZUT.

QU'EST-CE QUE TU AS?
TROIS FOIS RIEN... UNE PETITE VERRUE.

LA PETITE DU CHÂTEAU POURRA M'EN DÉBARRAS-SER!...

HEM! EUH... JE... MÉ... MÉLUSINE?
GRON.

N'AYEZ PAS PEUR. IL NE VA PAS VOUS MANGER.
GRON?
J'AI DIT NON, WINSTON!

JE VAIS VOUS ENLEVER CETTE VILAINE VERRUE...
J'AURAIS PAS DÛ VENIR... J'AURAIS PAS DÛ VENIR...

LÀÀÀ...
AÏE! OUILLE! HOULÀ!

C'EST FINI. JE VAIS VOUS CAUTÉRISER.

MÉLUSINE, POURRIEZ-VOUS...
HÉ! NE BOUGEZ P...
WHAAA

QU'EST-CE QUE TU AS?
UNE BRÛLURE AU TROISIÈME DEGRÉ!

128

OUSTE! ...DU BALAI!
SORCIÈRE! SOR...AÏE!
CES MANIAQUES DU BÛCHER M'ÉCHAUFFENT LES OREILLES!
ENFIN... ÇA M'A PERMIS DE RÉPÉTER MES FORMULES POUR L'EXAMEN.
AH! VOICI MÉLUSINE. PUISQUE VOUS ÊTES EN RETARD...
... JE VOUS EXAMINE LA PREMIÈRE!
EUH... 'SCUZEZ-MOI!
VOUS CONNAISSEZ VOS FORMULES?
OH, OUI, M'SIEUR!
ALLEZ-Y!
MÉLUSINE, JE NE PEUX QUE VOUS FÉLICITER!
DIX SUR DIX!
MAIS JE VEILLERAI PERSONNELLEMENT À CE QUE CETTE MATIÈRE SOIT SUPPRIMÉE DU PROGRAMME!
LES COURS SONT SUSPENDUS!
GLA
CHIC

"RENDEZ-VOUS DANS LA FORÊT"! RENDEZ-VOUS DANS LA FORÊT!
ELLE EN A DE BONNES, MA TANTE! COMMENT VA-T-ELLE ME TROUVER?
JE NE PEUX TOUT DE MÊME PAS FAIRE UN FEU!
OH! J'AI UNE IDÉE QUI VA LUI ÉVITER DE SURVOLER LA FORÊT PENDANT DES HEURES!
UN POINT DE REPÈRE, C'EST TOUT BÊTE!
VAS-Y, PETITE GRAINE!
FAIS-MOI UN ARBRE QUI DÉPASSE TOUS LES AUTRES!
!!LOP!
HÉ! HÉ! RÉUSSI!
BROUF!
BROUF?
HEU... COUCOU. TU M'AS TROUVÉE FACILEMENT?
KRAK
KRAK
KRAK
IDÉE STUPIDE! J'EN TOMBE DES NUES!
132

?
AÏOU!

AÏEOUAÏE!

VOYEZ-VOUS ÇA... LES GROSSES BÊTES, ÇA NE PENSE QU'À VOUS GRILLER TOUT VIF, MAIS AU MOINDRE BOBO, ÇA PLEURNICHE À VOUS FENDRE L'ÂME...
OUÏE

AÏEAH!
ALORS, MON GROS... QU'EST-CE QUI NE VA PAS?

MMH... JE N'ENTENDS RIEN.

FAITES "AAAH"!

AH.

C'EST MALIN! QUEL HUMOUR! MAIS QUEL HUMOUR! GROS CRÉTIN!

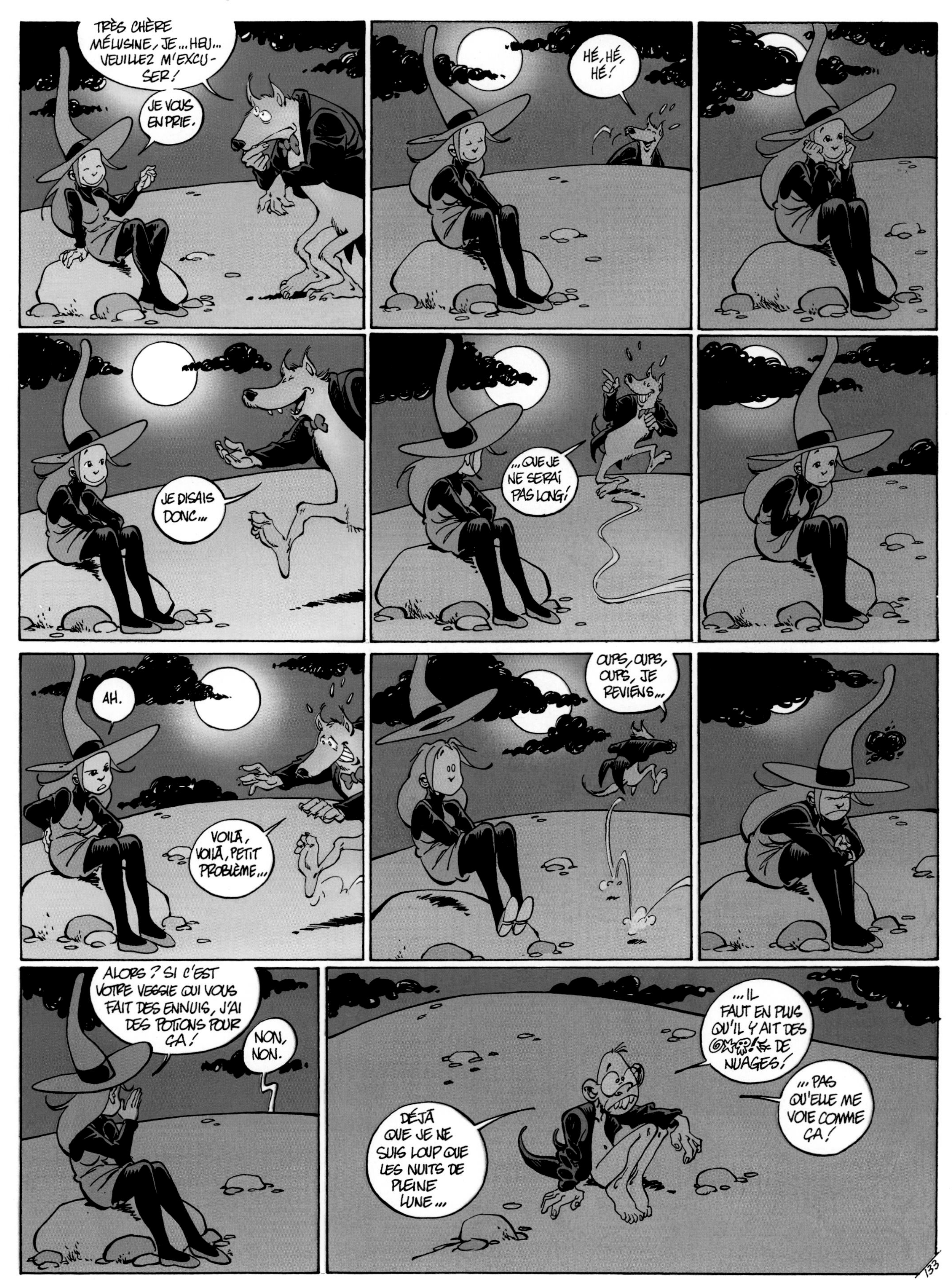
TRÈS CHÈRE MÉLUSINE, JE... HEU... VEUILLEZ M'EXCUSER !
JE VOUS EN PRIE.
HÉ, HÉ, HÉ !
JE DISAIS DONC...
...QUE JE NE SERAI PAS LONG !
AH.
VOILÀ, VOILÀ, PETIT PROBLÈME...
OUPS, OUPS, OUPS, JE REVIENS...
ALORS ? SI C'EST VOTRE VESSIE QUI VOUS FAIT DES ENNUIS, J'AI DES POTIONS POUR ÇA !
NON, NON.
DÉJÀ QUE JE NE SUIS LOUP QUE LES NUITS DE PLEINE LUNE...
...IL FAUT EN PLUS QU'IL Y AIT DES ...! DE NUAGES !
...PAS QU'ELLE ME VOIE COMME ÇA !
133

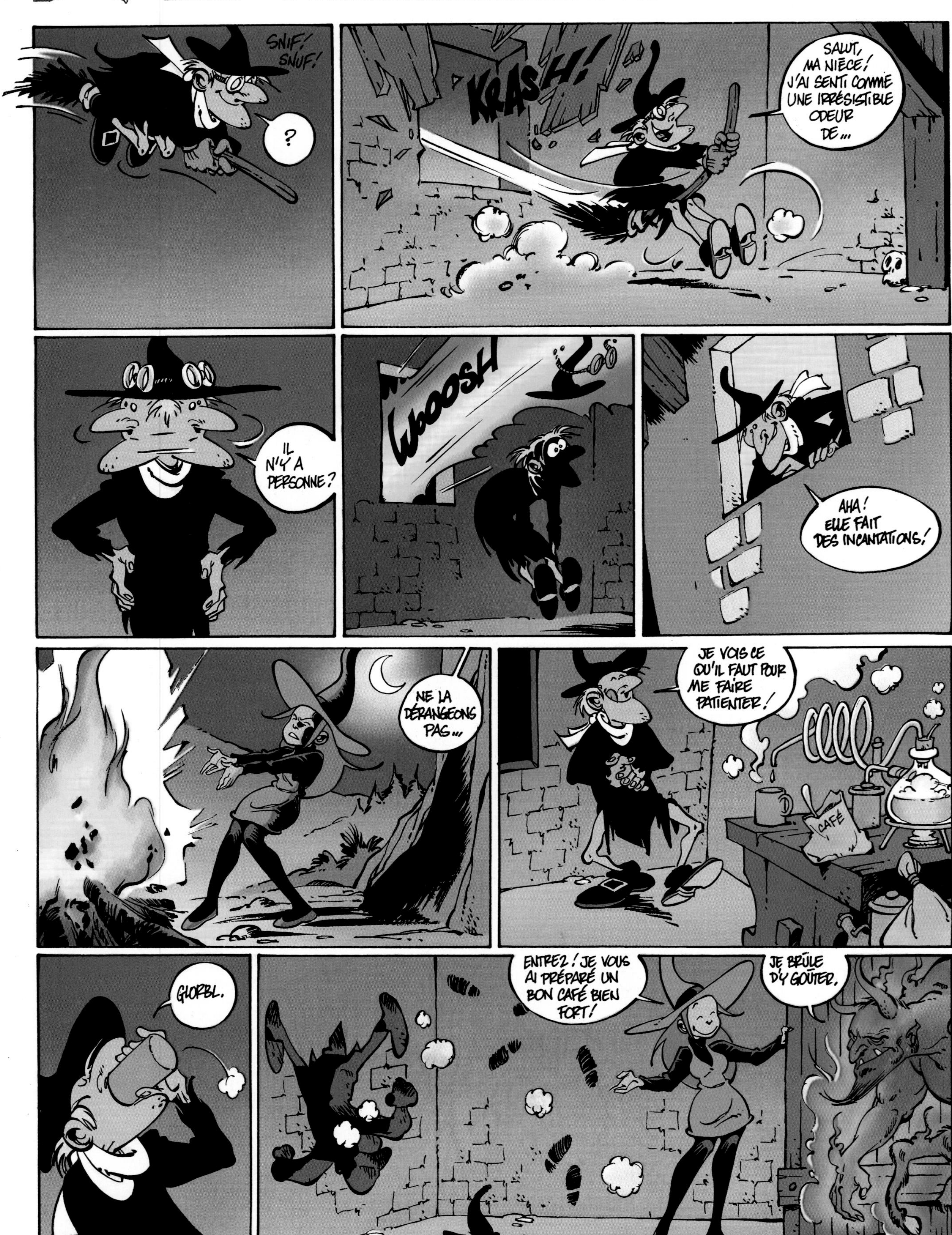
SNIF! SNUF!
?
KRASH!
SALUT, MA NIÈCE! J'AI SENTI COMME UNE IRRÉSISTIBLE ODEUR DE...
IL N'Y A PERSONNE?
WOOSH
AHA! ELLE FAIT DES INCANTATIONS!
NE LA DÉRANGEONS PAS...
JE VOIS CE QU'IL FAUT POUR ME FAIRE PATIENTER!
CAFÉ
GLORBL.
ENTREZ! JE VOUS AI PRÉPARÉ UN BON CAFÉ BIEN FORT!
JE BRÛLE D'Y GOÛTER.
136

JE N'Y ARRIVE PAS, ET TOI ?
HAHAAA ! J'AI RÉUSSI À LE METTRE AU POINT !
ON VA L'ESSAYER TOUT DE SUITE !
EUH... JE TE SUIS.
ATTENTION.
MAIS ÇA MARCHE !
JE TE L'AVAIS DIT !
WOW !
EH BIEN... POUR UN ENGRAIS EXPRESS, C'EST PLUTÔT RÉUSSI !
DE TOUTE FAÇON, J'AIME PAS LA COMPOTE !
134

TIENS, UN MESSAGE !
Chaire Mélusine, peu-tu m'anvoyer la faurmule pour le cours de demin ? Bises. Cancreluine
LÀ...
FILE, ON T'ATTEND...
FLAP ! FLAP !
?
ENCORE ?
Ma chère nièce, peux-tu m'envoyer une once de fiente de succube ? Merci. Adrazelle
VAS-Y, RACINE ! MA TANTE T'ATTEND. POUR SA SOUPE, SANS DOUTE ...
VLOP ! VLOP !
ENCORE ! IL FAUT TOUJOURS QU'ON M'APPELLE QUAND JE SUIS DANS MON BAIN...
KROK KRK
AKK
Chère Mélusine, j'ai le plaisir de vous inviter à un repas intime au vieux Chêne à minuit... Un ami.
LÀ, JE ME MÉFIE... JE NE SAIS PAS TROP POURQUOI, MAIS ...
126

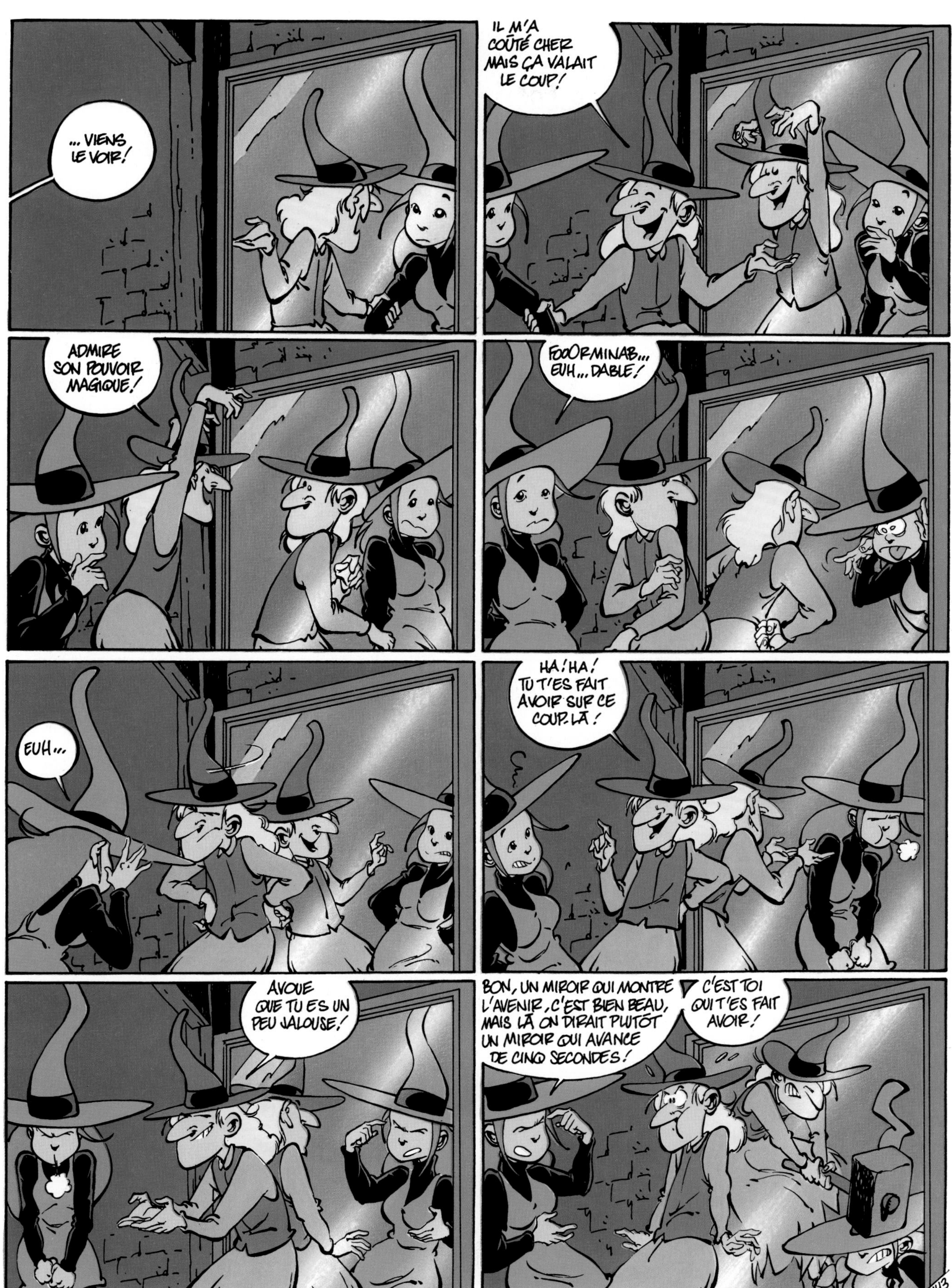
... VIENS LE VOIR !
IL M'A COÛTÉ CHER MAIS ÇA VALAIT LE COUP !
ADMIRE SON POUVOIR MAGIQUE !
FOOORMINAB... EUH... DABLE !
EUH...
HA ! HA ! TU T'ES FAIT AVOIR SUR CE COUP-LÀ !
AVOUE QUE TU ES UN PEU JALOUSE !
BON, UN MIROIR QUI MONTRE L'AVENIR, C'EST BIEN BEAU, MAIS LÀ ON DIRAIT PLUTÔT UN MIROIR QUI AVANCE DE CINQ SECONDES !
C'EST TOI QUI T'ES FAIT AVOIR !
143

À PRÉSENT, NOUS ALLONS VOIR LES EFFETS DES ENTRAILLES PUTRÉFIÉES...
ILS SONT NÉFASTES. SORTEZ VOS ÉCHANTILLONS, BANDE DE CLOPORTES !
PST ! KRAPELLA ! TU PEUX ME PASSER TON CASSE-CROUTE ?
MH.
LÀA... TIENS... CHHT !
BON ! QUI VA NOUS FAIRE L'HONNEUR D'UNE PETITE DÉMONST... ?
?
MÉLUSINE ?
KLAP !
VOUS NOURRISSEZ UN PETIT ANIMAL DANS VOTRE BANC !
NON, M'SIEUR, JE...
ET VOUS MENTEZ, EN PLUS !

VOYONS VOIR CE QUI NOUS FERA LES HONNEURS D'UNE PETITE VIVISECTION !
NON, M'SIEUR, NON !
HARGN! HARGN!

OH SI !... PETIT, PETIT... MAIS ?

OUAP!

MRFNGN GRNFLW !

GLP !

HEU... LE COURS EST SUSPENDU.
PTUH !

MONSIEUR HAASELBLATT EST PARTI ?
BRAVO, MÉLUSINE !
MAIS !
BIEN JOUÉ !
EUH...
PSCHOUF !

ASSEYEZ-VOUS. NOUS ALLONS COMMENCER NOTRE CHAPITRE DES PHILTRES PAR VOS DEVOIRS...

MÉLUSINE, AVEZ-VOUS RÉUSSI L'ÉLIXIR QUI DONNE VIE AUX OBJETS INANIMÉS ?
OH, OUI, M'SIEUR... MAIS J'AI CASSÉ LE FLACON DANS MON BANC...

ALLEZ-Y, BOUTEZ !
QUE SE PASSE-T-IL AU VILLAGE ?
OH ! UN BÛCHER !
JE VAIS ARRIVER TROP TARD !
ZOUF !
TOUT EST CONSUMÉ... MAIS QUI ÉTAIT-CE ?
BELLE RÉUSSITE, LA SAINT-JEAN DE CETTE ANNÉE !
CE SERAIT ENCORE MIEUX AVEC UNE VRAIE SORCIÈRE SUR LE BÛCHER !
... ET PAS UN SIMPLE MANNEQUIN !

JE CROIS QUE JE MAÎTRISE BIEN CETTE NOUVELLE FORMULE. ENCORE UN DERNIER ESSAI...
IL EST TEMPS QUE JE RETOURNE AU CHÂTEAU, MAINTENANT !
BOF !
EH BIEN, MÉLUSINE ?
JE COMMENCE TOUT DE SUITE, MADAME.
FRRRRRRRRRRRRRR
JE VOUS PRIERAI D'ÊTRE PLUS PONCTUELLE.
BIEN, MADAME.
DI... DA... DAAA...
144

White snake!
POF
POF
POF
POF
KR
KRRRR
?
KRAAK
POF!
EH BEN... ÇA, C'EST L'INSTINCT! MA SOUPE A FAILLI BRULER!

MGN... BIEN DORMI, CETTE JOURNÉE ...
AÏE !
... JE ME SUIS COUPÉ.
SLRP !
MIAM !
OUILLE !
HÉHÉ ! SLURP !
HIPS !
MIOM MIOM
OUILLE ! SLRP AÏE ! HÉHÉHÉ AÏE ! SLRP ! MIOM HIPS !
MÉLUSIIINE !
J'AI POURTANT DIT MILLE FOIS À MONSIEUR QUE QUAND ON N'A PAS DE REFLET ET QU'ON AIME LE SANG, ON NE SE RASE PAS TOUT SEUL !
HIPS
HIHI
HIPS HIHIHI !

MON PAUVRE AMI ! JE SUIS BIEN EN PEINE DE VOUS VOIR AINSI BROYER DU NOIR !
ET POURQUOI N'INVITERIEZ-VOUS PAS VOS ANCIENS CAMARADES DE CLASSE ? CELA VOUS CHANGERAIT LES IDÉES !
MES ANCIENS... ? MAIS ILS SONT MORTS DEPUIS DES ANNÉES !
ET ALORS ? MOI AUSSI, IL ME SEMBLE...
HÉLAS !
JE...
HÉ ! MAIS C'EST MA FOI VRAI !... CHARGEZ DONC MÉLUSINE DE LES CONVIER !
MON ENFANT, J'AI BESOIN DE VOS PETITS TALENTS. JE VOUS SAURAIS GRÉ DE PRÉVENIR QUELQUES AMIS DE MONSIEUR QU'UNE FÊTE VA ÊTRE DONNÉE EN LEUR HONNEUR.
MES TALENTS ? POURQUOI ? ILS HABITENT LOIN, CES AMIS ?
ELLE POURRAIT FRAPPER AVANT D'HANTER.
PAS TELLEMENT. C'EST LÀ...
AH BON. JE COMPRENDS.
ALLEZ, JEUNE FILLE. LA SANTÉ DE MONSIEUR EN DÉPEND.
B... BIEN, MADAME.
BRRR.
BENOIT FRIPIAT
FRANK LE GALL

PAR LES CORNES D'ASMODÉE ! MALGRÉ LES ANNÉES PASSÉES SOUS TERRE, QUE L'AMITIÉ QUI VOUS APPELLE VOUS RANIME DU SOMMEIL ÉTERNEL !

QUE VOS CORPS PUTRÉFIÉS SORTENT DES ENTRAILLES DE NOTRE MÈRE NOURRICIÈRE !
EVELYNE COLAS

ÇA MARCHE ! ILS VIENNENT ! ILS ARRIVENT ! HA ! HA !
VOUS TÂCHEREZ TOUT DE MÊME DE NE PAS TROP BOIRE !

MAIS QUE... ?
?

BFR
KLK
BRAFF
SCHRAAAKS
BROUF
TKTKTK

ET SI VOUS ALLIEZ RENDRE VISITE À VOTRE COUSIN ?
NON

GL... GLAÎE!
QUE FAITES-VOUS LÀ?
JE SUIS ERMITE... M... MAIS CCETTE FFOIS, J... JE NE PPPASSERAI PAS L'HIVER!
JE VAIS VOUS AIDER...
VVOUS CCROYEZ QUE J'AI ENVIE DE JJOUER?
ATTENDEZ!
VOILÀ! IL VEILLERA SUR VOUS TOUT L'HIVER ET VOUS OBÉIRA EN TOUT!
OH!
ADIEU!
ÉH! C'EST VRAI!
SAUVÉ! JE SUIS SAUVÉ!
SCHHHHH
149

TIENS ? LES KOBOLDS ME FONT DES SIGNES !

ÇA VA, LES AMIS ?
MÉLUSINE, NOUS AVONS UN GRAVE PROBLÈME !

FULMUR, LE DRAGON DE NOTRE FORGE, EST TRÈS MALADE... C'EST UNE CATASTROPHE POUR NOTRE TRAVAIL !
JE VAIS VOIR ÇA.

JE VOIS.
CRACHE, FULMUR !
KHEU...

DONNEZ-LUI CECI. UNE DOSE TOUTES LES HEURES.

JE PASSERAI DEMAIN POUR VOIR, MAIS ÇA DEVRAIT ALLER.
MERCI, MÉLUSINE !

LE LENDEMAIN...
OHÉ, LES KOBOLDS !
ÇA VA MIEUX ?

COMPLÈTEMENT GUÉRI !

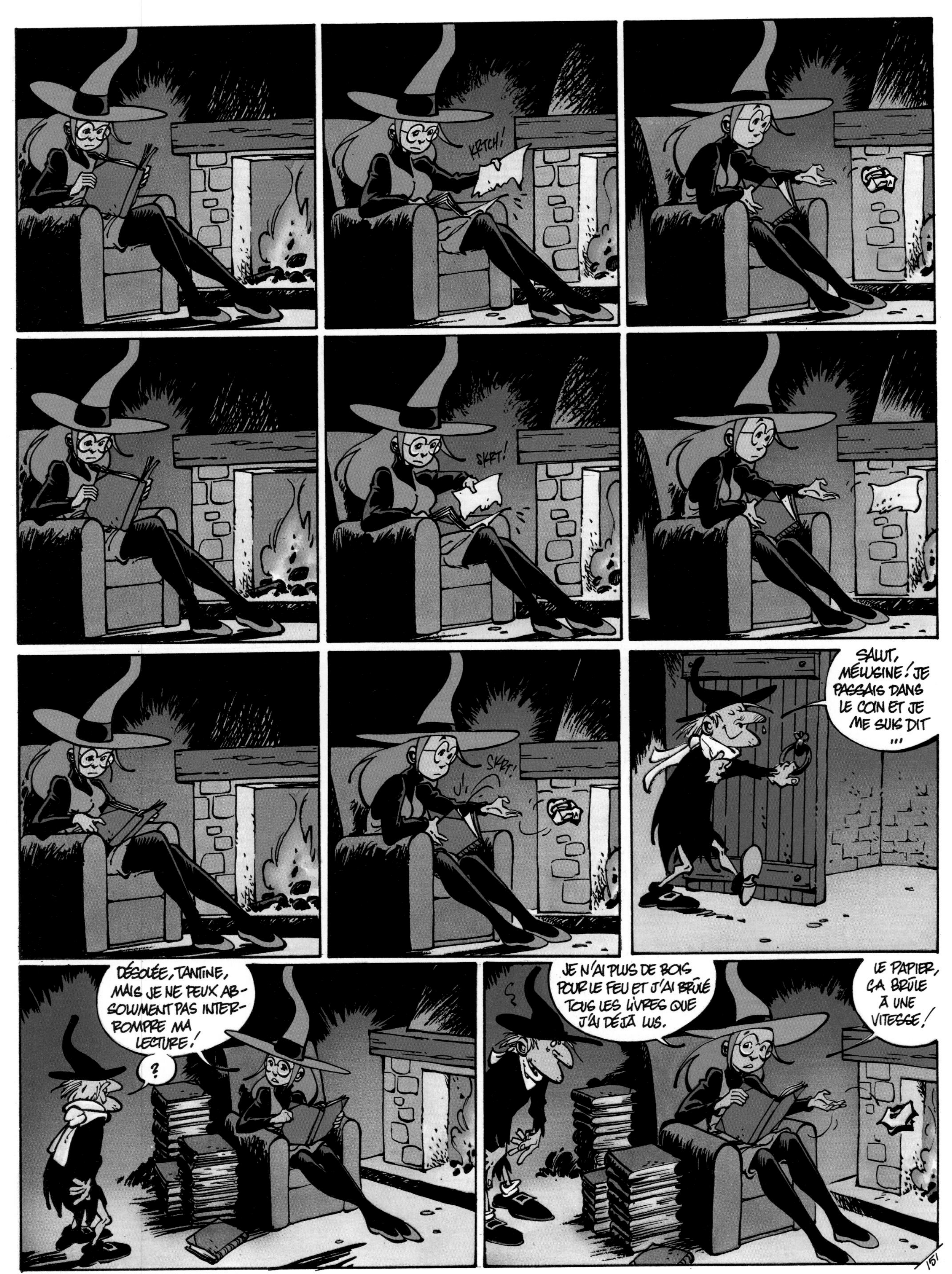
KRTCH!
SKRT!
SKRT!
SALUT, MÉLUSINE ! JE PASSAIS DANS LE COIN ET JE ME SUIS DIT ...
DÉSOLÉE, TANTINE, MAIS JE NE PEUX ABSOLUMENT PAS INTERROMPRE MA LECTURE !
?
JE N'AI PLUS DE BOIS POUR LE FEU ET J'AI BRÛLÉ TOUS LES LIVRES QUE J'AI DÉJÀ LUS.
LE PAPIER, ÇA BRÛLE À UNE VITESSE !
151

DONG
DONG
DÉJA ?
KRTCH
KRTCH
KRTCH
KRTCH
152

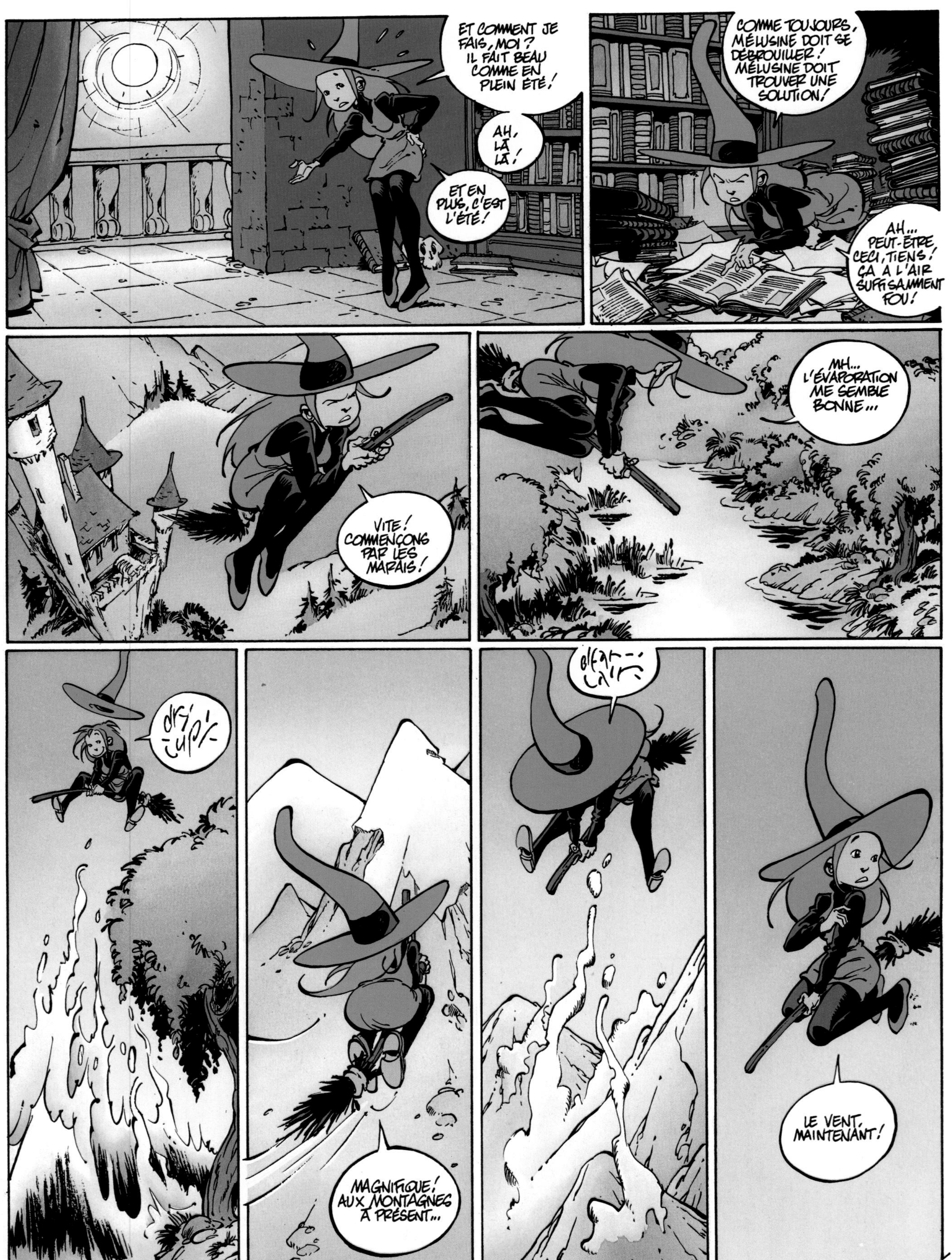
ET COMMENT JE FAIS, MOI ? IL FAIT BEAU COMME EN PLEIN ÉTÉ !
AH, LÀ LÀ !
ET EN PLUS, C'EST L'ÉTÉ !
COMME TOUJOURS, MÉLUSINE DOIT SE DÉBROUILLER ! MÉLUSINE DOIT TROUVER UNE SOLUTION !
AH... PEUT-ÊTRE CECI, TIENS ! ÇA A L'AIR SUFFISAMMENT FOU !
VITE ! COMMENÇONS PAR LES MARAIS !
MH... L'ÉVAPORATION ME SEMBLE BONNE...
MAGNIFIQUE ! AUX MONTAGNES À PRÉSENT...
LE VENT, MAINTENANT !
TEGA

ALLEZ, ALLEZ, RENCONTREZ-VOUS!

PHILTRE D'AMOUR!

KRAAK

PUTENTRAILLES! CE N'EST PAS POSSIBLE! DIABLERIE!

EH BIEN! TU EN AS MIS DU TEMPS! OÙ TRAÎNAIS-TU ENCORE?
LA PROCHAINE FOIS QUE TU TE FAIS CONDAMNER AU BÛCHER, ARRANGE-TOI POUR QUE LE CIEL SOIT DÉJÀ NUAGEUX!
JE GAGNERAI DU TEMPS!
PSCHH
PSCHH
PSCHH

SUIVEZ-MOI À LA VIEILLE TOUR... IL Y AURAIT QUELQUES POUSSIÈRES À DÉRANGER !
AÏE !
VOUS COMMENCEREZ PAR LA PORTE, BIEN SÛR...
ENSUITE, LES LOCATAIRES INDÉSIRABLES...
...LES CARREAUX ...
...LA LESSIVE ...
...LA POUSSIÈRE ...
...CIRER LES PLANCHERS...
MAIS ?...
EST-CE QUE VOUS ÉCOUTEZ CE QUE JE DIS ?
KR
IL FAUDRAIT D'ABORD QUE J'ARRIVE À OUVRIR LA PORTE !
KR
KR
KR
153

ET VOILÀ...
ET, QUE...
?!

FSHH!
?!

ALORS, PETITE SORCIÈRE, ON JOUE AVEC LE FEU ?

HA! HA! HA! TU AS UTILISÉ LA FORMULE PIÉGÉE!

JE SUIS REVENU POUR TOUT DÉTRUIRE! JE SUIS UN ÊTRE DE FEU! HA! HA! JE VAIS TOUT DÉVORER!

JE TE DÉFIE DE TROUVER UNE FORMULE POUR ME DÉTRUIRE! HA! HA! HA!

SPLAF!

JAMAIS VU UN DÉFI AUSSI IDIOT!
SHHHHH

EXERCICE DE LÉVITATION !

AAAAAA
AAAAAAAA
BOM !

HEU... SALUT ! TIENS ? QU'EST-CE QUE TES MEUBLES FONT AU PLAFOND ?
AV... ?

BOM !

CE NE SONT PAS MES MEUBLES QUI SONT AU PLAFOND, C'EST MOI !

... JE N'AI PLUS DE POILS DE CHAT !
MINOU, MINOU !
ALLONS BON ! OÙ SE CACHE-T-IL ?
IL NE RÉSISTERA PAS À CETTE ODEUR, LE FILOU...
HÉ HÉ HÉ !
DÉJÀ !
SLURP
SLP
MIORF
SLURP ! SLURP !
EUH...
COMMENT N'Y AI-JE PAS PENSÉ PLUS TÔT ?
JE VAIS UTILISER MON APPEAU !
C'EST IRRÉSISTIBLE !
QUEL CARACTÈRE ! MAIS QUELLE CUISINE !
MEÔÔÔW !

JE VOUS LAISSE À VOTRE OUVRAGE.
TÂCHE D'ENVERGURE, MADAME... J'ESPÈRE ÊTRE À LA HAUTEUR DE LA CONFIANCE QUE VOUS ME...
CESSEZ DE VOUS PAYER MA TÊTE, JEUNE PÉRONNELLE !
RECORD BATTU ! PFOUU !
LE MIROIR ET J'AI FINI !
EH ?
AAH !
PLAK !
?
?
?
ÇA ALORS ?
EH BIEN ?
VOUS N'ALLEZ PAS ME CROIRE MAIS JE VIENS DE PASSER 3 HEURES À NETTOYER UN REFLET !
VOUS AVEZ RAISON !
JE NE VAIS PAS VOUS CROIRE !

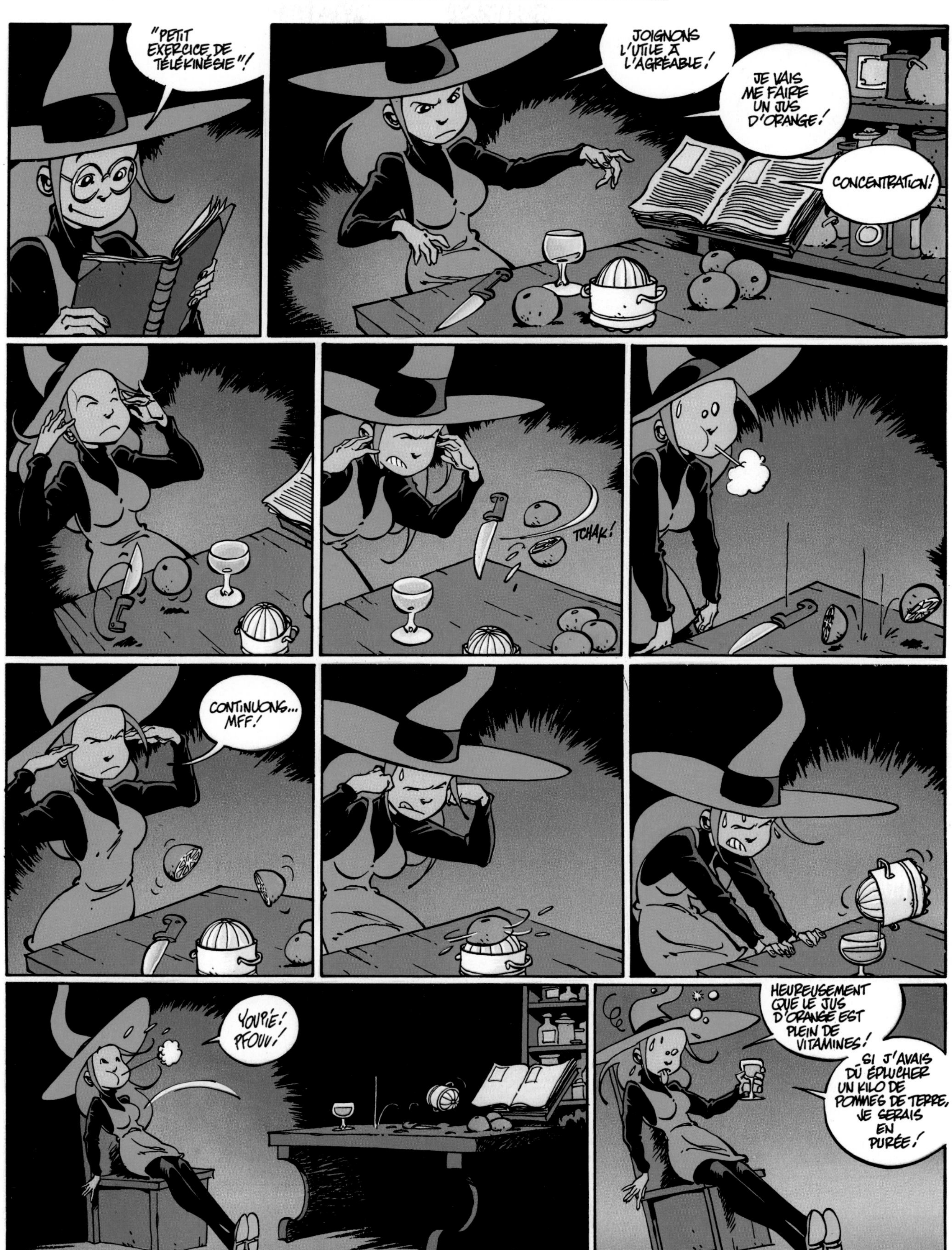
"PETIT EXERCICE DE TÉLÉKINÉSIE"!
JOIGNONS L'UTILE À L'AGRÉABLE!
JE VAIS ME FAIRE UN JUS D'ORANGE!
CONCENTRATION!
TCHAK!
CONTINUONS... MFF!
YOUPIE! PFOUU!
HEUREUSEMENT QUE LE JUS D'ORANGE EST PLEIN DE VITAMINES!
SI J'AVAIS DÛ ÉPLUCHER UN KILO DE POMMES DE TERRE, JE SERAIS EN PURÉE!
162

MÉLUSINE! MÉLUSINE!
AH. C'ÉTAIT ÇA, CE GRAND "CRAC"!

J'AI RENDEZ-VOUS AVEC MA TANTE À LA FORÊT MAUDITE ET JE SUIS EN RETARD! TU SAIS COMMENT SONT CES VIEILLES SORCIÈRES: AFFREUSES, MÉCHANTES ET SUSCEPTIBLES!

HUM, BREF, J'AI BESOIN D'UNE BOUTEILLE D'ESPRIT DE FEU...
UNE...? BON.

QU'EST-CE QUE TU FAIS?
T'INQUIÈTE PAS, ÇA VA MARCHER!

ARRÊTE! TU ES FOLLE?!
POP!

PSCHOUF!

ELLE N'Y ARRIVERA PAS, HEIN?

S.O.S
PRAFT!
ELLE S'EN EST RENDU COMPTE PAR ELLE-MÊME.

ALORS... L'EMPEREUR ASSOCIÉ AU PENDU SIGNIFIE... EUH...
PFFF ! ALLEZ, HOP ! RÉCRÉATION !
CE JEU N'A PAS L'AIR D'AVOIR DE POUVOIRS !
RIEN DE TEL QU'UN CHÂTEAU DE CARTES POUR SE CALMER LES NERFS !
AHAA ! C'EST TOI QUI M'AS CHIPÉ MON JEU DE CARTES...
BRUDOoBRONIMMM
...MAGIQUES !

BON, POUR "NETTOYER" CETTE PIÈCE, CECI EST INUTILE !
ON VA FAIRE UN PEU DE MAGIE !
QUE LA VIE VIENNE AUX PIERRES !
MURS, REFORMEZ-VOUS !
ET VOILÀ !
IL N'Y A PLUS QU'À METTRE DE L'ORDRE ...

HA! HA! CHAQUE FOIS QUE JE TE VOIS, JE SUIS PLIÉ EN DEUX !
ARRÊTE, TU VAS LE FROISSER!
EH, THOMAS! RECYCLE-TOI DANS L'ÉLEVAGE D'ESCARGOTS!

RICANEZ, ABRUTIS! CE SOIR, JE GAMBADE COMME UN MOUTON!

AH! LA VOILÀ!
TOK
TOK

J'ARR... OUOUUUH!

ENTREZ! PERSONNE NE VOUS A VUE?
SILENCE!

... BON, MAINTENANT, JE VAIS ENLEVER LE MAL ET LE TRANSFÉRER DANS CE CRAPAUD!
PAUVRE BÊTE!

EUH?
SAISISSEZ-VOUS DE CETTE SORCIÈRE!

ALORS, LES AMIS? TOUJOURS PLIÉS EN DEUX EN ME VOYANT?
98

"LE SEL"! ENFIN, L'ESPRIT DE SEL.
COMMENT?
CHOMP.
"PUIS-JE AVOIR DU SEL?"
HUMM...
"... S'IL VOUS PLAIT"
BIEN.
"PUIS-JE AVOIR DU VIN"?... ENFIN, DE L'ESPRIT-DE-VIN...
ÇA SUFFIT! DITES-LUI DE VENIR LE CHERCHER ELLE-MÊME!
JE DÉTESTE LEURS SCÈNES DE MÉNAGE!
163

CHOUETTE ! IL NEIGE !
CE SERA PLUS FACILE QU'AVEC DE LA TERRE GLAISE !
...ET PLUS AMUSANT AUSSI.
BONNE OCCASION POUR VÉRIFIER SI JE MAÎTRISE BIEN MES FORMULES !
ET VOILÀ... LA TOUCHE FINALE. HI ! HI !
?
ÇA MARCHE ! JE T'AI DONNÉ LA VIE !
QU'EST-CE QU'ON DIT ?
ATCHA
AAH... QUELLE VIE !
JE SUIS ÉPHÉMÈRE...
SNURF.
J'AI FROID.
JE SUIS RIDICULE...
...ET MALADE.

"… la princesse pleurait son chevalier injustement banni, mais le Bouffon Noir ne désespérait pas de le lui faire oublier."

"Or, du plus profond de la forêt…"

OLALAA ! FATIGUÉE, MOI !

J'AI BIEN FAIT DE NE BOIRE QU'UN SEUL VE… ZZZ…
Z

BEN ALORS ? ET LA SUITE ?!

Z
JE NE SUIS PAS FATIGUÉ, MOI ! J'AI ENCORE QUELQUES BÛCHES À FINIR !

Histoires à lire au coin du feu

VOYONS… MGN, MGN… AH ! VOILÀ ! "Or, du plus profond de la forêt, l'enchanteur Decharm savait la vérité."
Z

"Il savait que le chevalier était banni du fait des mensonges du Bouffon Noir, et…"

ZUT !

POF !
POF !
POF !

FICHU ! JE NE SAURAI JAMAIS LA FIN !
?
OÙ SUIS-JE ?
J'ENRAAAGE !
BLORB ! BLORB !
PAPA ?
QUE SE PASSE-T-IL ?
PSHH
OUAAH !
MAIS J'AI DORM...
?
VITE ! VITE ! À DÉVORER !
PFOUU ! SAUVÉ !
MAIS... ÇA BRÛLE, ICI !
?
?
?
ENFIN !
DIS DONC, PAS FACILE DE TROUVER LES TOIL...
?
À QUOI TU JOUES ?
MIAM !
NE POSE PAS DE QUESTIONS IDIOTES ! FAIS QUELQUE CHOSE !
139B

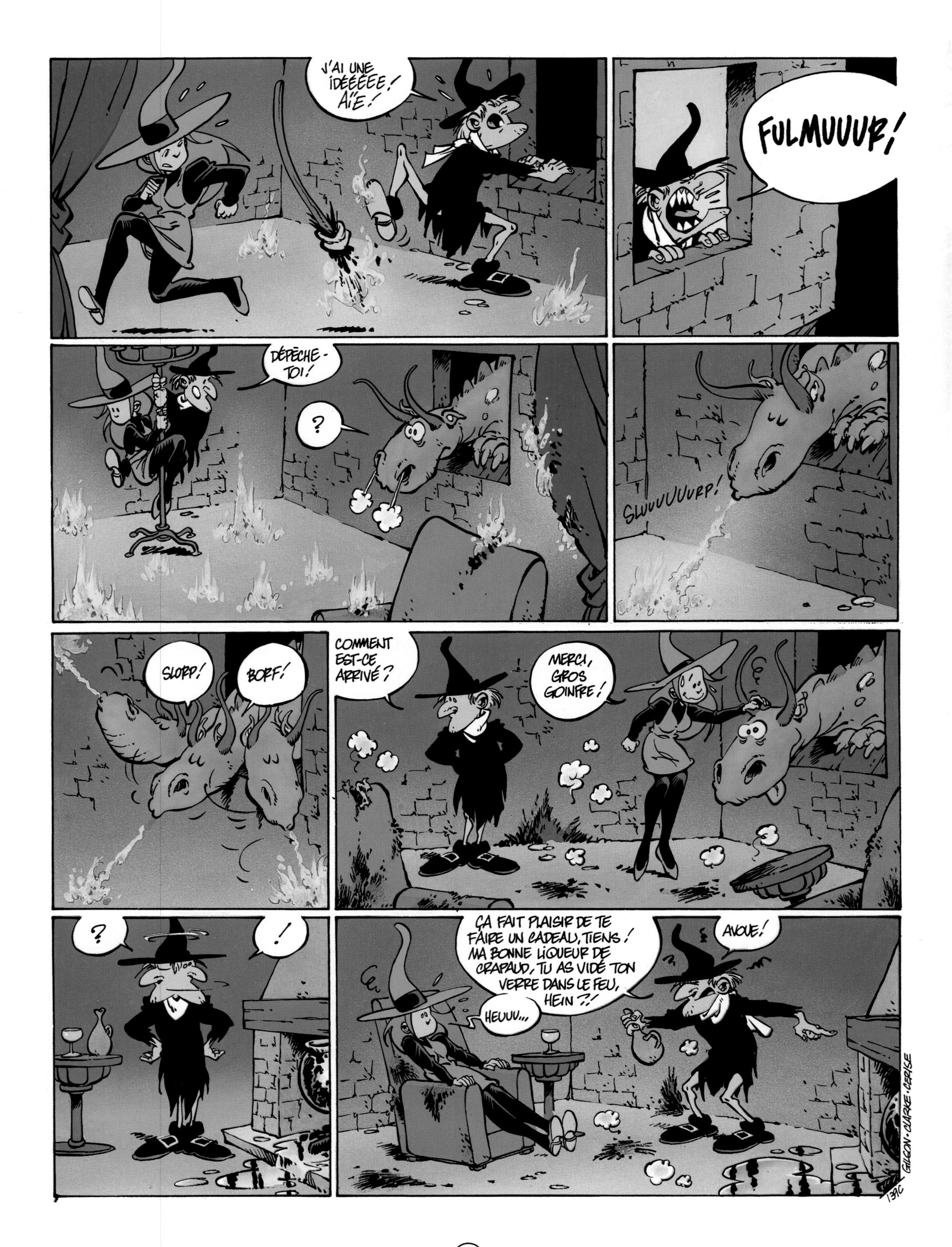
J'AI UNE IDÉÉÉÉE ! AÏE !
FULMUUUR !
DÉPÊCHE-TOI !
?
SLUUUUUURP !
SLORP !
BORF !
COMMENT EST-CE ARRIVÉ ?
MERCI, GROS GOINFRE !
?
!
ÇA FAIT PLAISIR DE TE FAIRE UN CADEAU, TIENS ! MA BONNE LIQUEUR DE CRAPAUD, TU AS VIDÉ TON VERRE DANS LE FEU, HEIN ?!
AVOUE !
HEUUU...
GILSON · CLARKE · CERISE

La Source Maudite

Par une froide journée d'hiver, Mélusine survolait la forêt sur son balai enchanté. Soudain, elle entendit des pleurs et se posa. C'était un bûcheron qui sanglotait devant sa maison perdue aux fond des bois. Il avait l'air si abattu, ce qui est un comble pour un bûcheron, que Mélusine lui demanda ce qui provoquait sa détresse. "Hélas, lui dit-il, ma petite fille est bien malade..." Quand elle vit l'enfant, Mélusine eut un pincement au coeur. Elle était maigre, pâle, et ses grands yeux fixes étaient entièrement noirs. "Bûcheron, dit Mélusine, ta fille a dû boire de l'eau de la source des Gorgols. C'est une source maléfique qui jaillit dans une grotte qu'habitent ces mauvais esprits. Tout qui en boit est envahi de l'intérieur par les ténèbres." Le bon père s'effondra complètement. Mélusine lui annonça qu'elle ferait tout son possible pour guérir son enfant. "Aie confiance en moi, lui dit-elle. Je vais consulter mes livres et chercher quelques amis." Elle enfourcha son balai et s'envola dans l'air glacé.

Lorsqu'elle revint, elle était accompagnée d'une effrayante petite troupe. Des Kobolds d'abord, étranges petits gnomes affreux et en réalité inoffensifs, qui passent leur temps à creuser des galeries de mine. Fulmur et Sharbon ensuite, leurs deux dragons qui alimentent leurs forges. Le loup-garou, créature féroce à ses heures. Enfin, fermant la marche, Winston, un être épouvantablement laid, haut de deux mètres, horriblement suturé de partout. La jeune sorcière présenta ses amis au bûcheron. Puis, tandis qu'elle commençait à préparer une potion, les autres se mirent à faire... des bonshommes de neige. Facétieux de nature, les Kobolds les fabriquèrent comiques. Winston en fit un énorme. Le loup-garou en fit des monstrueux. Les dragons furent dispensés car ils étaient enrhumés: à chaque éternuement leur travail fondait dans une grande gerbe de flammes.

Quelques heures plus tard, un impressionnant bataillon de bonshommes de neige se tenait devant la chaumière. Mélusine prononça des paroles magiques et ils s'animèrent. Puis elle fit boire de sa potion à l'enfant, qui toussa bruyamment. Sa bouche s'entrouvrit et une ombre noire en sortit. Cette chose, semblable à un morceau d'étoffe, se débattit, puis s'envola. La petite troupe la suivit jusqu'à une grotte d'où coulait un filet d'eau: le repaire des Gorgols. Les bonshommes de neige se postèrent en demi-cercle. Le loup-garou s'engouffra dans le boyau humide avec Winston, et tous deux poussèrent des hurlements à vous glacer le sang. Les Gorgols sortirent de leur cachette, complètement affolés. Les bonshommes de neige leur barrèrent la route, et chacun d'eux avala d'une pièce un de ces affreux petits monstres. L'énorme créature de Winston en avala même trois. Sous les encouragements des Kobolds, les deux dragons crachèrent leurs flammes. Les bonshommes fondirent en même temps que fondaient avec eux les infâmes Gorgols. Bientôt, il ne resta qu'une flaque nauséabonde qui fut absorbée par le sol.

Au même instant, dans la chaumière, la petite fille se ranima d'un coup. Ses yeux étaient à nouveau limpides, et elle se jeta dans les bras de son père. Quand Mélusine et ses compagnons rentrèrent de leur expédition, ils étaient toujours blottis l'un contre l'autre, sanglotant de bonheur. Le bûcheron embrassa Mélusine. Sa fille embrassa le loup-garou. Le père et la fille embrassèrent les Kobolds. Fulmur et Sharbon s'embrassèrent entre eux pour ne blesser personne. Et Winston embrassa le chien de la maison, maison sur laquelle le bonheur était enfin revenu...

Voilà, ami lecteur, comment se termina l'histoire de la source maudite. Ainsi, lorsque l'hiver s'en va, et que ton beau bonhomme de neige commence à fondre, ne sois pas triste. Pense qu'avec lui, c'est un affreux Gorgol qui disparaît, et qu'à chaque printemps, pour chaque bonhomme de neige qui fond, il y a peut-être quelque part un enfant qui retrouve la joie de vivre.

Conte écrit par François Gilson.
Illustrations de Clarke.

CLARKE